針も糸もつかわない
超かんたん
推しぬい

寺西 恵里子／作
Eriko Teranishi

汐文社

もくじ

はじめに　**P.4**

はってつくるマスコット・推しぬいのつくり方の基本ステップ　**P.5**

はってつくる マスコット　**P.6**

はってつくる マスコット バリエーション　**P.12**

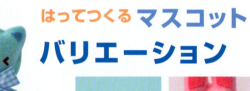

実物大の型紙　**P.14**

はってつくる 推しぬい　P.16

はってつくる 推しぬい バリエーション　P.22

実物大の型紙　P.35

はってつくる きせかえ推しぬい　P.24

はってつくる きせかえ推しぬい バリエーション　P.30

実物大の型紙　P.36

はってつくる 推しぬい　きせかえ推しぬい　共通の実物大の型紙　P.32

いっしょにお出かけしましょう！　P.15

写真を撮ってみよう！　P.15

はじめに

好きな本や映画やアニメやアイドル……
好きなことがあるって、すてきなこと！
その世界に入るだけでワクワクするのがいいですね。

その世界からぬけ出てきたような
推しぬいをつくってみませんか？
はじめてでも大丈夫！
ぬわないでつくるフェルトの推しぬいです。

人気のフェルトでつくるマスコットも！
ボンドでまわりをはって、綿を入れてつくります。
目鼻はゼッケン布にかいてはるだけ！
短時間でつくれるのも魅力です。

まずは……本の通りにつくってみてください。
つくれたら、髪型を変えたり、顔を推しに似せたりして
オリジナルのぬいをつくりましょう！

つくったら、お部屋に飾りましょう。
そこにいるだけで、温かい気持ちと
ワクワクした気持ちになります。
ひもやボールチェーンを通して
バッグにつけて、持ち歩いてもいいですね。

推しぬい1つで
楽しさが広がります。

いろいろつくってみてくださいね！

小さな人形に
大きな願いをこめて……

寺西 恵里子

はってつくるマスコット・推しぬいのつくり方の基本ステップ

ステップ 1 材料と用具を用意します。

そろえておくと、スムーズにつくることができます！

ステップ 2 顔をつくります。

ゼッケン布を使うと描いた目で、かんたんにつくれます。

ステップ 3 形に切ります。

セロハンテープをはって切るので、形通りに切れます。

ステップ 4 まわりをボンドではります。

ボンドの幅が太くならないように気をつけましょう！

ステップ 5 綿を入れて、ボンドではり、できあがり！

綿は小さくちぎって、少しずつ入れるのがポイント！

はってつくる マスコット

針も糸もつかわない！
切ってはるだけでつくれるマスコット！
細かい顔のパーツは、ゼッケン布でかんたんに！

リボンを結んだくまさん

好きなリボンを結んで、仕上げましょう！

さあ、つくりましょう！

♥ 材料と用具をそろえましょう。

材料

アイロン接着のゼッケン布でもOK！

ゼッケン布
フェルト 黄：適量
リボン（幅0.4cm）：白3cm
　　　　　　　　　水色適量
手芸用綿：適量
ボールチェーン：1個

用具

● 切るもの　● はるもの　● かくもの　● 使うときれいにできるもの

木工用ボンドでもOK！

はさみ　手芸用ボンド　鉛筆　竹串　割り箸
　　　　セロハンテープ　油性ペン

♥ 型紙を用意しましょう。

コピー

コピーをして、使いやすい大きさに切ります。

写す

型紙の上に紙を置き、鉛筆でなぞります。使いやすい大きさに切ります。

実物大の型紙

[リボンを結んだくまさん]
フェルト
前後ろ 各1枚

1 型紙を使って、顔のパーツをつくります。

❶ 型紙の上にゼッケン布を置き、セロハンテープではります。

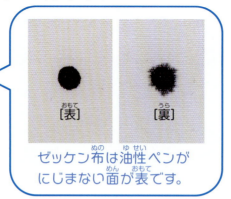
ゼッケン布は油性ペンがにじまない面が表です。

❷ 型紙をずらしながら、油性ペンでくまの顔のパーツをかきます。

❸ 写しました。

❹ はさみで大まかにまわりを切ったあと、パーツを切ります。

❺ 切れました。

2 型紙を使って、ボディを切ります。

❶ 型紙のまわりを大まかに切ります。

❷ フェルトにセロハンテープで型紙をはります。

❸ 1周はりました。

❹ 型紙の線の上をセロハンテープごと切ります。

フェルトが大きくて切りづらい……

そんなときは、
一度大まかに切りましょう！
型紙通りに
切りやすくなります。

❺
フェルトが切れました。型紙はもう一度使います。

❻
余ったフェルトに❺の型紙をのせ、セロハンテープで1周はります。

❼
❹と同じように切ります。2枚切れました。

3 顔のパーツをはります。

❶
フェルトの上に、顔を並べます。

❷
パーツの裏に、竹串を使いボンドをぬり広げます。

❸
ボディにはります。

❹
全てのパーツをはりました。

> 必ず大人の人とやってね！
>
> アイロン接着のゼッケン布を使えばかんたん！
> 中温のアイロンをしっかり押すようにかけます。
> ギュッと押すのがはがれないコツです。

4 後ろにリボンをつけます。

❶
3cmに切り、2つに折ります。

❷
後ろの頭の中心に、ボンドではります。

❸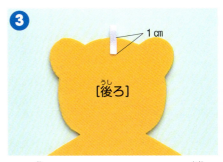
2つ折りにし、ボールチェーンが通る部分を残し、1cmはり合わせます。

5 前後をはり合わせます。

① あき口（綿を入れるところ）を残し、後ろの外側0.5cmくらいにボンドをつけます。

② 斜線部分にボンドがつきました。

③ もう1枚のボディをのせて、はり合わせます。

④ ボンドがかわくまで待ちます。

アイロンをかけるとすぐにくっつく！
中温のアイロンを押すようにかけます。クッキングシートではさむと、ボンドがはみ出てもまわりを汚しません。

必ず大人の人やってね！

6 綿を入れ、あき口をとじます。

① 綿を小さくちぎります。

② 割り箸を使い、足から順に少しずつ綿を入れます。

あき口から遠い方から足→お腹→手→胸→耳→頭の順で、綿をつめていきましょう！

③ 厚みが1〜1.5cmくらいになるように、綿をつめました。

④ 竹串であき口にボンドをぬります。

⑤ はり合わせます。ボンドがかわくまで待ちます。

7 リボンを結びます。

❶
リボンを結びます。

❷
下のリボンで輪をつくります。

❸
上のリボンを❷でつくった輪の上にかけます。

❹
まん中にできた穴に、通します。

❺
両方の輪を持って、外側にひっぱり結びます。

❻
左右の輪の大きさを、下のリボンをひっぱって整えます。

❼
下のリボンをはさみで切ります。

❽
リボン結びができました。

8 ボールチェーンをつけます。

頭の上のリボンの輪にボールチェーンを通します。

好きなリボンの色や太さを選ぼう！

11

はってつくる マスコット
バリエーション

「推(お)し」の生(い)きもので
マスコットをつくってみよう！

うさぎ

ねこ

リボンを色違(いろちが)いにした、
ペアをつくってもいいですね！

アヒル

飾ったり、遊んだりして、
つくったあとも
楽しみましょう！

かめ

こうらは好きな色を
組み合わせてつくりましょう！
色違いをつくって、
プレゼントしてもいいですね！

実物大の型紙 **P.14**

いっしょにお出かけしましょう！

ボールチェーンを通して、
普段づかいのリュックや
カバンにつけてみましょう！
推しぬいやマスコットと
いっしょにお出かけを楽しもう！

写真を撮ってみよう！

好きなものといっしょに！　好きな場所を背景に！
たくさん推しぬいの写真を撮ってみよう！

はってつくる
推しぬい

フェルトを切りばりして、推しぬいをつくりましょう！
「推し」の髪型や洋服のイメージに近づけよう！

フェルトぬい
洋服はプリント布を
切りばりしてもいいですね！

さあ、つくりましょう！
♥ 材料と用具をそろえましょう。

材料

ゼッケン布
フェルト 黄/うすだいだい/グレー/赤：適量
手芸用綿：適量

用具
木工用ボンドでもOK！
- 切るもの： はさみ
- はるもの： 手芸用ボンド、セロハンテープ
- かくもの： 油性ペン、鉛筆
- 使うときれいにできるもの： 竹串、割り箸

実物大の型紙
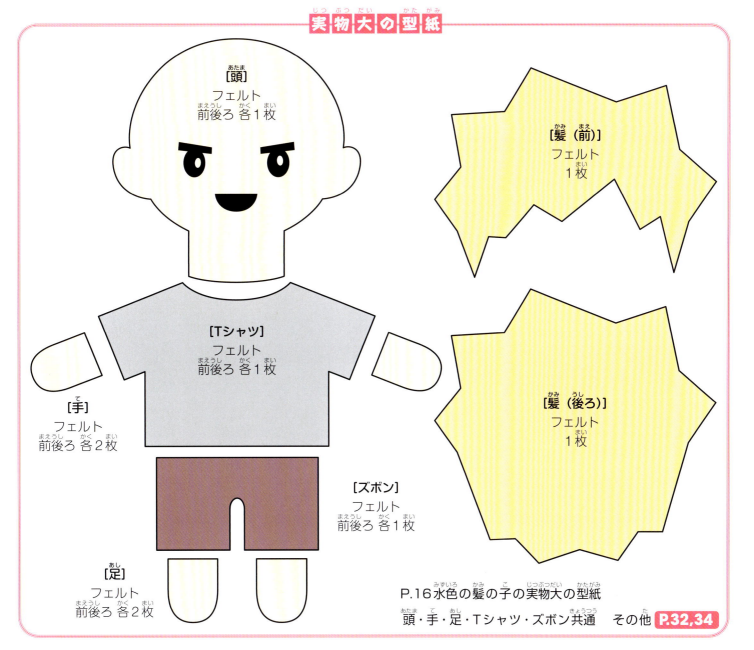

[頭] フェルト 前後ろ 各1枚
[髪(前)] フェルト 1枚
[髪(後ろ)] フェルト 1枚
[Tシャツ] フェルト 前後ろ 各1枚
[手] フェルト 前後ろ 各2枚
[ズボン] フェルト 前後ろ 各1枚
[足] フェルト 前後ろ 各2枚

P.16水色の髪の子の実物大の型紙
頭・手・足・Tシャツ・ズボン共通　その他 **P.32,34**

17

1 型紙を使ってフェルトを切ります。

❶

型紙をつくります。(P.7参照)

❷

型紙の通りに、パーツを切ります。
(P.8の❷参照)

❸

全てのパーツが切れました。

2 頭をはり合わせて、綿を入れます。

❶

あき口(綿を入れるところ)を残し、外側0.5cmくらいに、ボンドをぬります。

❷
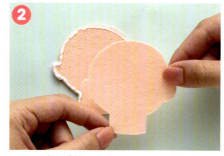
もう1枚の頭をのせて、はり合わせます。

❸

ボンドがかわくまで待ちます。
(アイロンを使う場合は、P.10参照)

❹

綿を小さくちぎります。

❺

割り箸を使い、少しずつ綿を奥に入れます。

❻
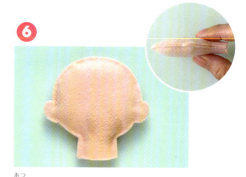
厚みが1～1.5cmくらいになるように、綿をつめます。

3 パーツをはり合わせます。

1

手の全体に、竹串を使ってボンドをぬり広げます。

2

もう1枚の手をのせて、はり合わせます。

3

同じように手と足を2つずつはります。ボンドがかわくまで待ちます。

4
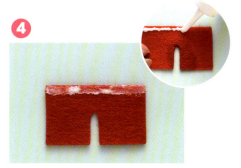
ズボンの上0.5cmくらいにボンドをつけます。

5
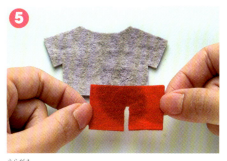
裏返して、Tシャツにはります。右の図を参考にしましょう。

6

はれました。

実物大の組み合わせ図

はり合わせるときに参考にしよう！

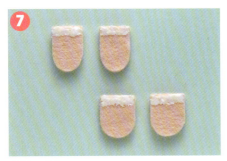

手足の上0.5cmくらいにボンドをつけます。

裏返して、❻に写真のようにはります。

もう1枚のズボンの上以外、外側0.5cmくらいにボンドをつけます。

裏返して、❽のズボンに重ねてはります。

頭の首に、竹串を使ってボンドをぬり広げます。（斜線部分）

裏返して、❿に写真のようにはります。

もう1枚のTシャツの上以外、外側0.5cmくらいにボンドをつけます。

裏返して、⓬のTシャツに重ねてはります。

Tシャツのえりからズボンの端まで、割り箸が入るよ！

4 綿を入れ、あき口をとじます

❶ Tシャツのえりから、割り箸を使い、少しずつ綿を奥に入れます。

あき口から遠いズボン→Tシャツの順で、綿をつめていきましょう！小さくちぎった綿を少しずつ入れるのがポイントです。

❷ 厚みが1〜1.5cmくらいになるように綿をつめます。

竹串であき口にボンドをぬります。

はり合わせます。

ボンドがかわくまで待ちます。

5 頭と顔を仕上げます。

❶ 髪の前の裏に、竹串を使ってボンドをぬり広げます。（斜線部分）

❷ 推しぬいの頭にはります。

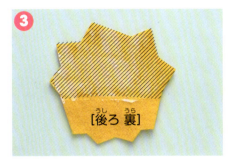
❸ 髪の後ろの裏に、ボンドをぬります。（斜線部分）

❹ 頭の後ろにはります。

❺ 型紙の通りに、顔のパーツをゼッケン布に描き、切ります。（P.8の❶参照）

Tシャツにプリント布を切って、はってもいいですね！

❻ 切ったパーツにボンドをぬり、推しぬいにはります。

はってつくる推しぬい
バリエーション

色や形にこだわって、自分だけの推しぬいをつくりましょう！

髪を耳にかけたり、切るのが難しいまゆ毛は、油性ペンでかいてもいいですね！

レースやビーズで
飾ってみましょう！

服をデニムでつくっても
いいですね！

実物大の型紙
頭・手・足・Tシャツ・ズボン **P.17** その他 **P.32-35**

23

はってつくる きせかえ推しぬい

「推し」をイメージしたぬいと
「推し」に着せたい服をつくってみよう！
洋服もフェルトをはるだけでかんたんにつくれます！

きせかえ推しぬい
服をきせかえて
遊びましょう！

洋服・顔の参考 P.34,39

さあ、つくりましょう！

♥ 材料と用具をそろえましょう。

材料

ゼッケン布
フェルト
ピンク／うす茶／
黄／オレンジ：適量
手芸用綿：適量

用具

- 切るもの
  はさみ

- はるもの
  手芸用ボンド
  セロハンテープ

- かくもの
  鉛筆
  油性ペン

- 使うときれいにできるもの
  竹串　割り箸

実物大の型紙

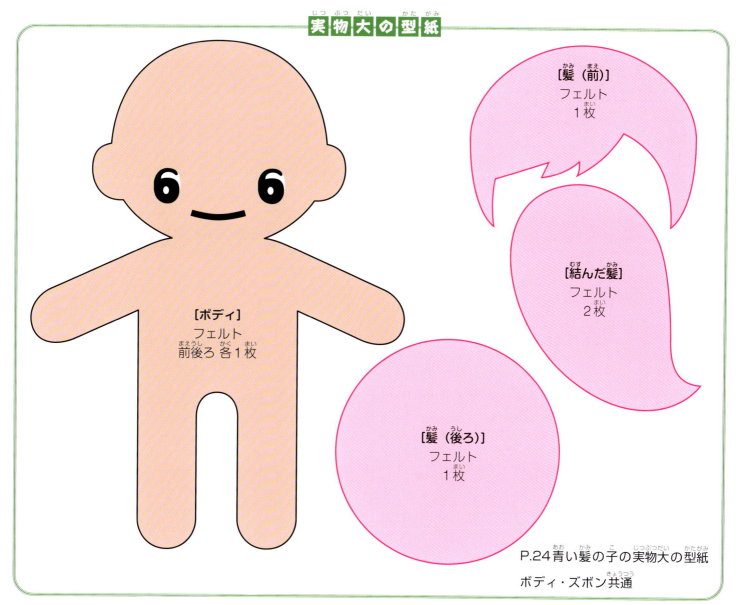

[ボディ]
フェルト
前後ろ 各1枚

[髪（前）]
フェルト
1枚

[結んだ髪]
フェルト
2枚

[髪（後ろ）]
フェルト
1枚

P.24 青い髪の子の実物大の型紙
ボディ・ズボン共通

1 型紙を使ってフェルトを切ります。

① 型紙をつくります。（P.7参照）

② 型紙の通りに、パーツを切ります。
（P.8の②参照）

③ 全てのパーツが切れました。

2 ボディをつくります。

[後ろ 裏]

① あき口（綿を入れるところ）を残し、後ろの外側0.5cmくらいにボンドをつけます。（斜線部分）

[前 表]

② もう1枚のボディをのせて、はり合わせます。

③ ボンドがかわくまで待ちます。
（アイロンを使う場合は、P.10参照）

④ 綿を小さくちぎります。

⑤ 割り箸を使い、少しずつ綿を奥に入れます。

> あき口から遠い
> 足→お腹→手→胸→頭
> の順で、綿をつめていきましょう！小さくちぎった
> 綿を少しずつ
> 入れるのがポイントです。

❻
厚みが1～1.5cmくらいになるように、綿をつめます。

❼
竹串であき口にボンドをぬります。

❽
はり合わせ、ボンドがかわくまで待ちます。

3 髪の毛をはります。

❶
髪の前の裏に、竹串を使ってボンドをぬり広げます。（斜線部分）

❷
推しぬいの頭にはります。

❸
髪の後ろの裏に、ボンドをぬります。（斜線部分）

❹
推しぬいの後ろにはります。

❺
結んだ髪の表面全体に、竹串を使ってボンドをぬり広げます。

❻
もう1枚の結んだ髪をのせて、はり合わせます。

❼
ボンドがかわくまで待ちます。

❽
裏返して、竹串を使ってボンドをぬり広げます。（斜線部分）

❾
頭の後ろにはります。

4 顔をはります。

❶

型紙の通りに、顔のパーツをゼッケン布にかき、切ります。
（P.8の❶参照）

❷

切ったパーツにボンドをつけて、推しぬいにはります。

5 Tシャツをつくります。

❶

型紙の通りに、Tシャツを切ります。
（P.8の❷参照）

❷

★の線とTシャツの下の線を合わせてたたみ、折り目をつけます。反対側にも折り目をつけます。

❸

折り目がつきました。

❹

Tシャツの脇0.5cmくらいに、ボンドをぬります。（斜線部分）

❺

折り目に沿って折り、はります。

❻

ボンドがかわくまで待ちます。

飾りましょう！

洋服や髪の毛に、ビーズやリボンなどをはって飾りましょう！

リボンや布はボンドを使います。
ビーズは、プラスチック用ボンドを使います。

はってつくる きせかえ推しぬい
バリエーション

ぬいも洋服もたくさんつくって遊びましょう！

「推し」にきせたい洋服をつくってみよう！

フェルトだけでなく、
布もつかって洋服をつくってみましょう！

実物大の型紙
ボディ P.25
顔・髪型 P.33,34
Tシャツ・ズボン P.29
その他 P.36-39

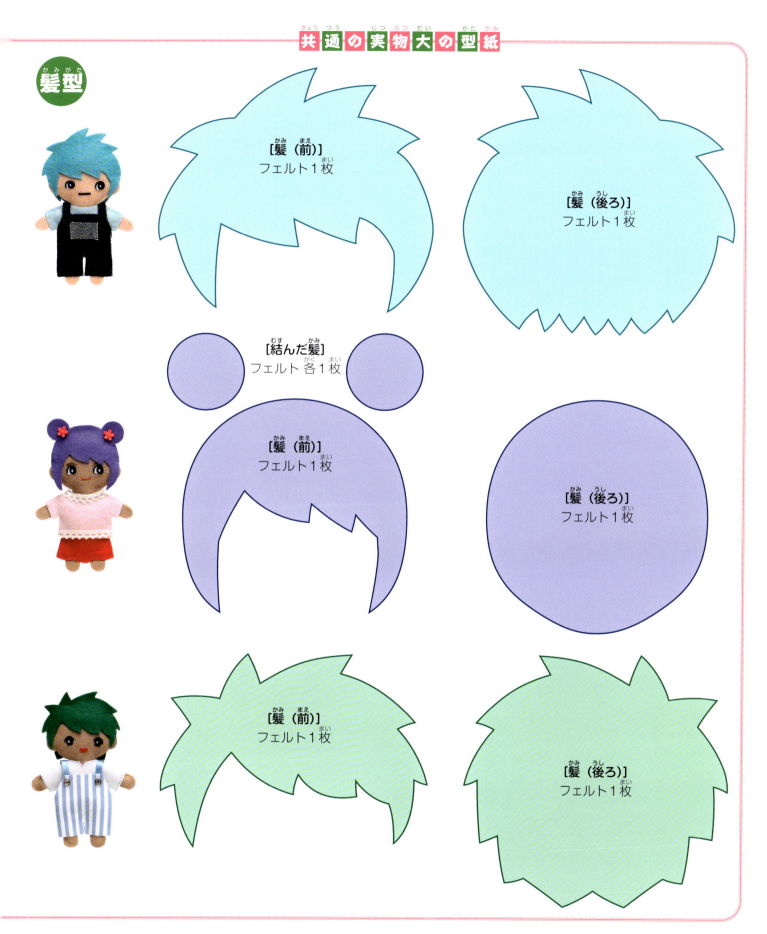

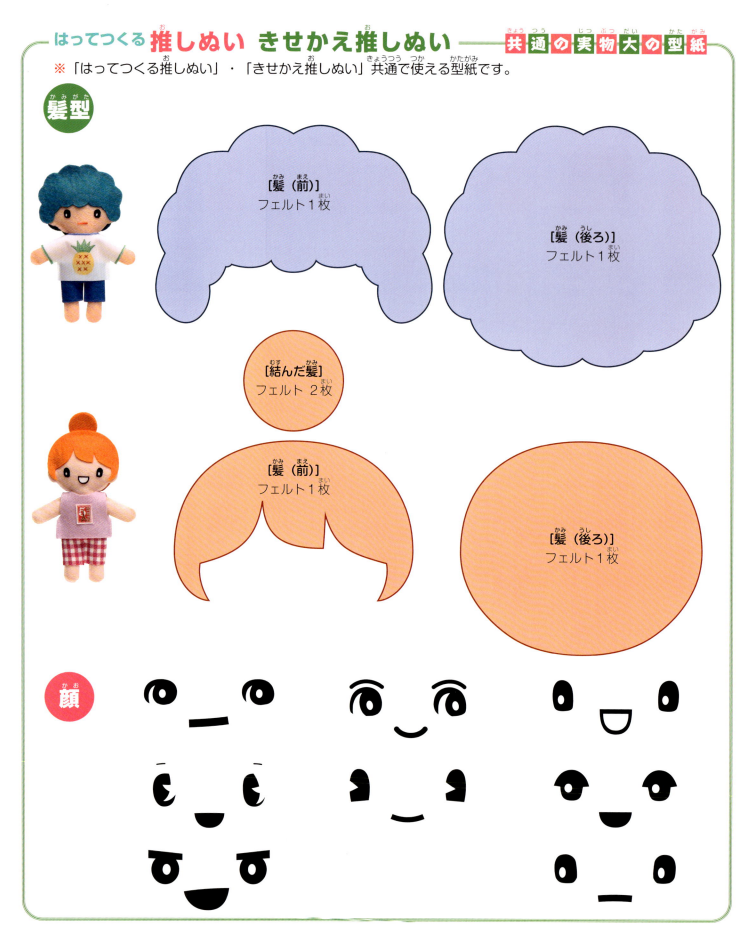

はってつくる 推しぬい — 実物大の型紙

スカート

[スカート]
フェルト
前後ろ 各1枚

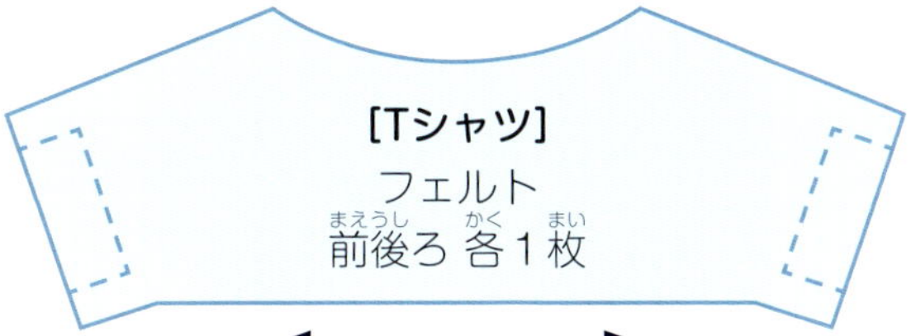

[Tシャツ]
フェルト
前後ろ 各1枚

Tシャツ
サロペット

[サロペット]
フェルト
前後ろ 各1枚

ワンピース

[ワンピース]
フェルト
前後ろ 各1枚

布で洋服をつくりましょう！

必ず大人の人とやってね！

布を切ってもほつれないように、接着芯をアイロンではりましょう！

① 接着芯を必要な大きさに切ります。

② 布の裏に、接着芯の接着面を下にして置きます。

③ 中温のアイロンで、押さえます。

サロペットをつくりましょう！

❶ 型紙の通りに、サロペットを切ります。（P.8の❷参照）4cmに切ったリボン（幅0.6cm）を2本用意します。

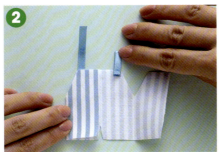

❷ 写真のように布とリボンに折り目をつけます。

❸ 折り目がつきました。

❹ サロペットの股0.5cmくらいに、ボンドをぬります。（斜線部分）

❺ 折り目に沿って折り、はります。

❻ リボンをはり、ボンドがかわくまで待ちます。

ワンピースをつくりましょう！

❶ 型紙の通りに、ワンピースを切ります。（P.8の❷参照）

❷ 折り目をつけ（P.28の❺の❷参照）、脇にボンドをつけます。（斜線部分）

❸ 折り目に沿って折り、はり合わせます。

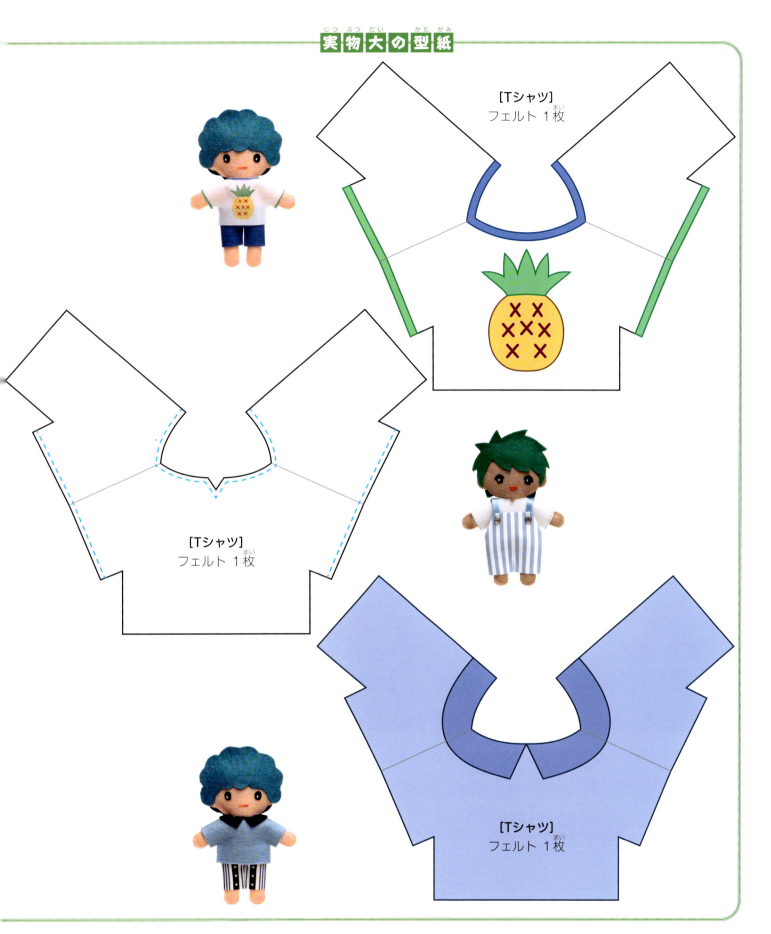

作 寺西 恵里子 （てらにし えりこ）

(株)サンリオに勤務し、子ども向け商品の企画・デザインを担当。退社後も"HAPPINESS FOR KIDS"をテーマに、手芸、料理、工作、子ども服、雑貨、おもちゃ等の、商品としての企画・デザインを手がけると同時に、手作りとして誰もが作れるように伝えることを創作活動として本で発表する。実用書・女性誌・子ども雑誌・テレビと多方面に活躍中。

『ひとりでできる アイデアいっぱい 貯金箱工作(全３巻)』（汐文社）
『身近なもので作る ハンドメイドレク』（朝日新聞出版）
『基本がいちばんよくわかる 刺しゅうのれんしゅう帳』（主婦の友社）
『０〜５歳児 発表会コスチューム155』（ひかりのくに）
『かぎ針で編む キュートななりきり帽子＆小物』（日東書院本社）
『もっと遊ぼう！ フェルトおままごと』（ブティック社）
『30分でできる！ かわいいうで編み＆ゆび編み』（PHP研究所）
『３歳からのお手伝い』（河出書房新社）
『作りたい 使いたい エコクラフトのかごと小物』（西東社）
『365日 子どもが夢中になるあそび』（祥伝社）
他、著書は700冊を超える。

撮影 　　奥谷 仁　渡邊 峻生
デザイン 　　NEXUS DESIGN
カバーデザイン 　　池田 香奈子
イラスト 　　高木 あつこ
作品制作 　　池田 直子　岩瀬 映瑠　やべ りえ
作り方まとめ 　　岩瀬 映瑠
校閲 　　大島 ちとせ

針も糸もつかわない
超かんたん推しぬい

発行日	2024年10月　初版第１刷発行
作	寺西 恵里子
発行者	三谷 光
発行所	株式会社　汐文社 〒102-0071東京都千代田区富士見1-6-1 　　　　　　富士見ビル１F TEL 03-6862-5200　FAX 03-6862-5202 http://www.choubunsha.com/
印刷	新星社西川印刷株式会社
製本	東京美術紙工協業組合

乱丁・落丁本はお取替えいたします。
ご意見・ご感想は　read@choubunsha.comまでお送りください。

©ERIKO TERANISHI 2024　Printed in Japan
ISBN978-4-8113-3172-0